D0266639

NIET WAAR!

# NIET WAAR!

Elsbeth de Jager

Omslag ontwerp: Ruud Baas Grafische vormgeving
Foto omslag: Goodluz | Shutterstock.com
Grafische realisatie binnenwerk: MDS



www.248media.nl

ISBN: 9789079603176
NUR: 282/283

# Inhoud

Voor Melvin, de liefde van mijn leven

&

voor mijn twee dierbare kinderen Merel en Jorick

# Het ongeluk

De wekker gaat. Naomi geeft er boos een klap op. Waarom gaat dat ding af? Het is zaterdag. Ze draait zich lekker om, maar schiet dan overeind in haar bed.
Hoe kon ze dat vergeten! Ze heeft straks een extra les in de sportschool. Heerlijk, karate. Naomi doet het al een paar jaar. Maandag mag ze examen doen. Voor de oranje band. De oranje slippen en de halve band heeft ze bij haar vorige examens al gehaald. Als ze dit examen ook haalt, heeft ze de hele oranje band.
Spannend. Maar het gaat vast lukken! Ze heeft goed geoefend. En Tom, de instructeur, is tevreden over haar.
Vanmiddag gaat ze met mama de stad in. Ze heeft nieuwe karate-handschoenen nodig. Van die dikke rode.
Naomi heeft echt zin in vandaag. Het gaat een topdag worden!
Ze springt uit bed. Haar hond Rakker komt met een kwispelende staart uit zijn mand. Hij gaat voor haar zitten en kijkt smekend omhoog. Naomi weet precies wat dat betekent: 'Ik wil met je uit.'
Ze bukt even en kroelt Rakker tussen zijn oren. 'We gaan bijna, Rakker,' belooft ze hem, 'ik moet me even aankleden.'
Roetsj, doet ze haar pyjama uit. Ze gooit hem op haar bed. Snel trekt ze een spijkerbroek aan. Dan nog haar nieuwe, felgroene shirt. Zo, klaar!

Ze rent de trap af. Rakker holt blaffend achter haar aan. Mama staat in de keuken. Als Naomi binnenkomt, kijkt ze snel de andere kant uit. Ze snuit haar neus.
'Ben je alweer verkouden, mam?' vraagt Naomi. 'We gaan straks wel nieuwe karatehandschoenen voor mij kopen hoor. Dat heb je beloofd.'
'Ik ben niet verkouden. En zeur niet. Ik doe altijd wat ik beloof. Dat weet je.'
Naomi kijkt geschrokken naar mama. Wat klinkt ze boos. Vroeger werd mama nooit zo snel kwaad.
Naomi haalt haar schouders op. Ze moet opschieten. Vlug doet ze Rakker aan de riem. 'Kom Rakker, we gaan uit.'

Om kwart voor negen is Naomi in de sportschool. Ze kleedt zich om en loopt naar de zaal. Eens kijken of Lucas er al is. Lucas is haar karatevriend. Ze sporten altijd met zijn tweeën. 'Sparren' heet dat bij karate. In de gang staat Pascal. Hij is groot en sterk. Eigenlijk is Naomi een beetje bang voor hem. Hij maakt vaak ruzie en kan echt gemeen doen. Ze loopt snel door.
Lucas is nog niet in de zaal.
Waar kan hij zijn, peinst ze. De les begint bijna en ik kan zonder hem niet oefenen.
Ze loopt terug naar de kleedkamers. Voor de deur van de jongenskleedkamer aarzelt ze. Wat zal ze doen? Ze mag daar niet zomaar naar binnen gaan. Ineens hoort ze haar naam.

‘Hé, weten jullie het al van Naomi? Maar niet tegen haar zeggen dat je het van mij hebt hoor.’
Dat is Pascals stem, dat weet ze zeker.
Ze gaat met haar oor tegen de deur staan.
Wat gaat Pascal vertellen? En waarom mag ze niet weten dat hij dat vertelt?
‘Haar ouders gaan scheiden. Mijn moeder zegt dat haar vader weg wil. En je raadt nooit waarom die vader er vandoor gaat, hij ...’
Meer hoort Naomi niet. Woedend stormt ze de jongenskleedkamer in.
‘Niet waar! Hou je kop! Dat is gemeen!’ Haar hoofd is vuurrood. ‘Liegbeest! Het is helemaal niet waar.’
‘Naomi.’
Oei! Dat is de stem van Tom. Hij klinkt erg kwaad.
Naomi kijkt naar hem.
‘Hoe kom je erbij om hier gewoon binnen te rennen? En dan zo te gaan schreeuwen? Stel je voor dat we dat allemaal zouden doen. Dat zou een mooie boel worden.’
Met boze stappen loopt Tom weg.
Naomi bijt op haar lip. Tom heeft gelijk. Als meisje mag je niet in de jongenskleedkamer. Maar zou hij niet gehoord hebben wat Pascal zei? Wat had ze dan moeten doen?
Langzaam gaat Naomi terug naar de zaal. Eigenlijk is ze alweer vergeten dat ze van Tom op haar kop heeft gekregen.
In haar hoofd hoort ze steeds opnieuw wat Pascal zei, ‘Naomi’s ouders gaan scheiden... Haar vader wil er vandoor...’

Scheiden ... scheiden ... scheiden ...
Papa wil weg ...
Zou het waar zijn?
Ach welnee, hoe kan Pascal dat nou weten? En bovendien, papa en mama maken helemaal geen ruzie. Papa is veel weg. En mama is vaker moe en boos dan vroeger. Maar dat betekent toch niet dat ze gaan scheiden?
Lucas komt op het nippertje de zaal binnen rennen. Naomi is diep in gedachten en steekt even haar hand naar hem op.
Zou Pascal gelijk hebben?
Zou het echt zo zijn?
Ze is zo aan het piekeren dat ze de arm van haar tegenstander niet op haar gezicht ziet afkomen. De vuist raakt haar midden in haar gezicht. Au! Wat een klap.
Naomi valt achterover met haar hoofd op de grond.
Als ze haar ogen open doet, ziet ze het gezicht van Tom. Hij kijkt haar ongerust aan.
'Gaat het?'
Ze knikt en staat op.
Meteen wordt ze vreselijk duizelig. Ze maait wild met haar armen in het rond. Als Tom haar niet had opgevangen, was ze weer gevallen.
'Je moet maar even naar het ziekenhuis,' zegt Tom bezorgd. 'Ik zal je moeder bellen, dan kan zij met je mee.'

Naomi leunt tegen mama aan. Wat duurt het lang voordat ze aan de beurt is. Haar hoofd doet pijn. En ze is misselijk.

Ze doet haar ogen dicht. Misschien dat het gebonk in haar hoofd dan wat minder wordt.
Eindelijk komt er een man in een witte jas binnen.
'Naomi Jongejans?' vraagt hij.
Naomi loopt met mama achter de verpleegkundige aan.
Ze lopen door een gang met links en rechts allemaal deuren. Het lijkt wel of de vloer op en neer gaat. Mama houdt haar stevig vast.
'Ik ben toch niet op een schip?' fluistert Naomi. Mama schudt haar hoofd.
Eindelijk staat de verpleegkundige stil en doet een deur open. Naomi ziet een klein kamertje waarin een soort bed op wielen staat. Wat is ze blij dat ze mag gaan liggen. Haar hoofd doet heel zeer!
'Zo buurmeisje, wat heb jij uitgehaald?' vraagt de man.
Naomi knijpt haar ogen tot spleetjes en kijkt naar de man in de witte jas. Dan herkent ze hem.
'Hé Melvin.'
Melvin heeft lang bij haar in de straat gewoond. Hij is echt aardig. Toen hij ging studeren is hij naar een andere stad verhuisd. Dat vond Naomi jammer.
'Mijn hoofd doet zo zeer,' klaagt ze. 'Kun je daar iets tegen doen? Ik heb maandag examen.'
Melvin geeft geen antwoord. Met een heel fel lampje schijnt hij in haar ogen. Ze moet eerst naar links kijken. Dan naar rechts en ook nog naar boven en naar beneden.
'Ik ga je een paar dingen vragen,' zegt hij. 'Hoe heet je?'

Nou ja zeg, denkt hij soms dat ze een kleuter is! Ze weet heus wel hoe ze heet.
'Naomi Jongejans.'
'Wat is je telefoonnummer?'
Braaf noemt ze haar telefoonnummer op, maar ze snapt er niks van. Wat wil Melvin toch?
'Weet je welke dag het vandaag is?'
Wat doet hij raar. Naomi wordt een beetje boos. 'Ik ben geen baby. Tuurlijk weet ik welke dag het is. Zaterdag. Overmorgen heb ik examen voor de oranje band.'
Melvin legt zijn hand op haar schouder. 'Ik weet dat je geen baby bent, Naomi. Maar ik denk dat je een hersenschudding hebt. Daarom moest ik wat vragen stellen om te kijken of je ze gewoon kon beantwoorden. Dan weet ik hoe ernstig het is.'
Naomi schiet overeind maar laat zich direct weer vallen.
'Au!'
Als de ergste pijn een beetje weg is, kijkt ze naar Melvin.
'Een hersenschudding? Hoe lang duurt dat? Ik moet maandag examen doen, hoor!'
'Ik denk niet dat dat gaat lukken,' zegt Melvin, 'Je bent behoorlijk hard gevallen. Je zult echt een poosje rustig aan moeten doen.'
'Als ik nou verder heel rustig doe, mag ik dan wel examen doen?' vraagt Naomi smekend.
Melvin schudt zijn hoofd.
'Nee, Naomi. Dat kan echt niet. We moeten zorgen dat

je weer goed beter wordt. Je hoeft niet de hele dag in bed te blijven. Maar als je hoofdpijn krijgt, moet je echt gaan liggen. En weinig tv kijken of computeren, want dat is voor je hoofd niet goed. Ik geef je moeder een papier mee waar ze extra op moet letten. En vannacht moeten je ouders je elke twee uur even wakker maken om te zien hoe het met je gaat. Straks komt de dokter nog naar je kijken. Die zal ook een recept voor wat pijnstillers schrijven.'

Naomi wil protesteren, maar er komt een grote golf misselijkheid omhoog.

'Ik moet... ik ben ...' Verder komt ze niet. Voor ze weet wat er gebeurt, heeft ze alles ondergespuugd.

Ze begint te huilen. Eerst zachtjes maar dan steeds harder. Het kan haar niks schelen dat haar hoofd daar nog meer pijn van gaat doen. Eerst die gemene leugens van Pascal dat haar ouders gaan scheiden en nu heeft ze ook nog een hersenschudding. En kan ze geen examen doen. Dit is echt een rotdag!

# Wat een gepieker!

Naomi wordt wakker. Ze ligt in haar eigen bed. Het is al een beetje donker. Ze knipt haar kleine bedlampje aan en kijkt op de wekker. Het is bijna avond! Ze heeft de hele middag geslapen.
Mama kijkt zachtjes om het hoekje van de deur.
'Ah, je bent wakker,' zegt ze. 'Hoe voel je je?'
Wat een stomme vraag, denkt Naomi. Mijn hoofd barst en ik ben misselijk. En ik mag geen examen doen. En ... ze denkt even diep na; er was toch nog iets naars.
Ze weet het weer: de leugen van Pascal.
'Hoe voel je je?' vraagt mama weer.
Naomi kijkt haar verschrikt aan. Ze haalt haar schouders op. 'Het gaat wel.'
'Hoe kwam het precies dat je zo hard viel?' vraagt mama.
Naomi krijgt een kleur. Ze durft niet te vertellen wat ze van Pascal heeft gehoord.
'Dat weet ik niet meer. Ik lette niet goed op, denk ik.'
Mama kijkt haar even aan.
Het lijkt wel of ze probeert te raden waar Naomi aan denkt.
Dan haalt ze een hand door haar haar en staat op. 'Ik zal wat soep voor je halen. Heb je daar trek in?'
'Hm, een beetje,' zegt Naomi. Na de soep dommelt ze weer in slaap.

De volgende dag is ze gelukkig niet meer zo misselijk en maandag gaat het nog weer een klein beetje beter. 's Middags komt Lucas. Hij geeft Naomi een grote reep chocola. Dan laat hij trots zijn oranje band zien.
'Het was niet moeilijk hoor,' troost hij Naomi. 'De volgende keer haal jij hem gemakkelijk.'
Naomi knikt een beetje.
'Zeg,' begint Lucas, 'Wat gebeurde er nou? Je had die arm makkelijk kunnen ontwijken. Waarom deed je dat niet? Je bent altijd hartstikke goed. En dan was je ook niet gevallen.'
Naomi is even stil. Zal ze het Lucas vertellen?
'Ik zocht jou,' zegt ze dan zachtjes, 'en ik stond bij jullie kleedkamer. Toen hoorde ik Pascal zeggen dat mijn ouders gaan scheiden. Dat had hij van zijn moeder gehoord.'
Lucas kijkt haar met grote ogen aan.
'Jouw ouders?' vraagt hij ongelovig.
Naomi knikt. Ze begint een beetje te huilen.
Lucas komt wat dichter bij haar op het bed zitten.
'Joh, misschien is het helemaal niet waar,' zegt hij.
'En als het wel waar is?'
'Kun je het niet gewoon aan je moeder vragen?' stelt Lucas voor.
'Dat durf ik niet.' Naomi snuit haar neus. 'Ze wordt de laatste tijd best snel boos.'
'Toch moet je het weten,' houdt Lucas vol. 'Misschien is het een valse leugen. Maar als het wel waar is ...'

'Het is niet waar!!' schreeuwt Naomi. Ze raakt helemaal overstuur. 'Het is niet waar, Lucas! Hou op! Het is niet waar! Ik wil het niet!'
Opeens staat mama in de kamer.
'Wat is hier aan de hand?' Ze kijkt van Lucas naar de huilende Naomi.
Lucas kijkt naar de grond.
'Nou?' vraagt mama streng.
Als ze allebei geen antwoord geven wordt mama boos.
'Lucas, jij gaat onmiddellijk naar huis. Je weet dat Naomi zich rustig moet houden.'
Lucas mompelt iets. Dan schiet hij met een vuurrood hoofd langs mama heen de kamer uit.
Mama gaat op de bedrand zitten. Naomi doet demonstratief haar ogen dicht.
'Wat is dat nou?' vraagt mama verbaasd. 'Je bent toch niet boos op mij? Ik kan er niks aan doen dat je gevallen bent.'
Echt wel, denkt Naomi. Als het waar is wat Pascal zegt, is het wel jouw schuld. En die van papa.
'Kijk me eens aan,' vraagt mama. Naomi houdt haar ogen dicht. Als mama over haar hoofd strijkt, schuift ze zo ver mogelijk naar de muur.
Mama zucht. 'Zo kan ik je niet helpen, lieverd. Waarom zeg je niet wat er is?'
Als Naomi niks zegt, staat mama op en loopt de trap af. Naomi huilt zachtjes. Wat moet ze doen? Met wie kan ze praten?

Naomi is nu een week thuis. Met haar hoofd gaat het steeds beter, maar ze wordt doodmoe van haar gepieker. Stiekem let ze aldoor op papa en mama.
Hoe kijken ze naar elkaar?
Zijn ze lief voor elkaar?
Maken ze ruzie?
Ze weet het allemaal niet meer. Ruzie maken ze in elk geval niet. Maar ze maken geen grapjes met elkaar. Dat deden ze vroeger wel. Naomi ziet ook niet dat ze een arm om elkaar heen slaan. Of elkaar een kus geven.
'Wat is er, lieverd? Waarom kijk je zo naar ons?' vraagt papa.
Naomi haalt diep adem. 'Gaan jullie scheiden?' flapt ze er zomaar uit.
Het is doodstil in de kamer. Het enige wat je hoort, is het tikken van de klok.
Tik ... tak ... tik ... tak ...
Naomi bijt op haar vingers. Dan kijkt ze papa en mama aan. 'Is het waar? Nee toch? Zeg dat het niet waar is,' smeekt ze.
Papa kucht en schuift zenuwachtig met zijn voet over het kleed.
Mama snuit haar neus. 'Ja Naomi, het is waar. Maar hoe weet jij dat?'
'Pascal zei het, op de sportschool. Zijn moeder had het gezegd. Maar ik mocht het eigenlijk niet horen.'
'Ik snap niet hoe dat kan. We hebben het nog tegen niemand gezegd. Maar ja, iedereen weet dat die moeder

een enorme kletstante is. Als ze maar even iets vermoedt, vertelt ze het overal rond. Meestal klopt er niks van. Helaas is dit wel waar. We gaan scheiden.'
'Waarom?' Naomi vraagt het heel zachtjes. Papa en mama kunnen haar haast niet verstaan.
'Toen ik papa ontmoette, was ik al heel snel zwanger van jou. We trouwden ...' vertelt mama. Ze slikt. 'Maar ik wist niet ...' Mama huilt. Ze kan niet verder praten. Hulpzoekend kijkt ze naar papa.
'Mama wist niet dat ik eigenlijk meer van mannen hou dan van vrouwen,' maakt papa de zin af.
Niet begrijpend kijkt Naomi van papa naar mama.
'Wat zeg je? Wat bedoel je daarmee?'
'Ik vind dit vreselijk moeilijk, Naomi. Maar ik zal het proberen uit te leggen.'
Papa haalt diep adem.
'Vroeger wilde ik net zo als andere mensen zijn. Ik wist wel dat ik eigenlijk van mannen hield, maar dat wilde ik niet. Mijn vrienden werden verliefd. Allemaal op een vrouw. Dat wilde ik ook. Ik wilde niet anders zijn. Ik wilde trouwen en een gezin krijgen. Ik trouwde met mama en jij werd geboren. Ik was gelukkig. Ik vond het fijn met zijn drietjes. Maar het lukt niet meer.'
'Hou je dan niet meer van mama?'
'Zeker hou ik nog van mama.'
'Waarom gaan jullie dan scheiden? Als je van elkaar houdt, kun je toch gewoon bij elkaar blijven?'

Mama schudt haar hoofd. 'Dat gaat niet meer, Naomi. Papa werd steeds ongelukkiger. Het voelde voor hem net alsof hij toneel moest spelen. Hij moest spelen alsof hij heel gelukkig was met een vrouw. Maar dat was niet zo. En een poosje geleden heeft hij een man ontmoet van wie hij is gaan houden.'
Net als in het ziekenhuis voelt Naomi de misselijkheid opkomen. Ze rent naar de wc en op haar knieën geeft ze over. Met haar handen houdt ze de koude bril vast.
Het is waar, denkt ze. Het is dus toch waar.

Een half uurtje later ligt ze met een schone pyjama in bed. Mama heeft haar gewassen en een half bekertje lauwe thee laten drinken. Nu komt papa binnen en aait over haar hoofd.
'Je blijft altijd mijn dochter, lieverd. En ik blijf jouw papa, wat er ook gebeurt.'
Wat heb ik daaraan? zou Naomi willen roepen.
In plaats daarvan fluistert ze 'Ga je echt weg hier? Bij ons?'
Papa knikt.
'En ga je dan bij die andere man wonen?'
Weer knikt papa.
'Dan hou je dus meer van hem dan van mij. Want mij laat je in de steek.'
'Ik snap dat je dat denkt. Maar zo is het niet. Ik blijf je vader. En ik hoop dat je heel vaak bij me komt. En me alles vertelt. Hoe het met je gaat en wat je doet.'

‘En die andere man dan? Die wil ik helemaal niet zien. Jij hoort bij mama!’ protesteert Naomi.
‘Ik heb heel lang bij mama gehoord, maar nu niet meer. Het gaat niet meer.’
‘Je wilt ons gewoon niet meer.’ Boos kijkt Naomi papa aan. ‘Ik vind het ook heel gek dat je bij een man gaat wonen. Ga je ook met hem zoenen? En gaan jullie in één bed slapen?’ Naomi probeert zich dat voor te stellen. Ze kan het niet helpen maar ze krijgt een beetje kippenvel. Ze vindt het zo’n raar idee.
‘Als twee mensen echt van elkaar houden, dan zoenen ze, ja. En dan slapen ze bij elkaar in bed,’ antwoordt papa zachtjes.
‘Ja maar ...’ Naomi weet niet goed wat ze moet zeggen. Het is ook zo veel opeens. Papa en mama die gaan scheiden ... Papa gaat weg. En dan gaat hij ook nog bij een andere man wonen. Ze denkt terug aan wat papa allemaal heeft gezegd. Opeens wordt ze heel erg bang.
‘Pap?’
‘Ja lieverd?’
‘Je zei dat je van mannen houdt en niet van vrouwen. Hou je dan ook niet meer van mij? Ik bedoel ...’ Naomi is helemaal in de war. Ze huilt alweer.
‘Ach meisje toch.’ Papa neemt haar op schoot en hij wiegt haar heen en weer alsof ze nog heel klein is. ‘Natuurlijk hou ik van jou! Jij bent mijn Naomi, mijn lieve dochter, en ik zal altijd van je blijven houden. Altijd, hoor je me goed?’ Papa tilt haar kin op zodat ze hem aan moet kijken.

'Maar waarom ga je dan weg? Ik wil niet dat je weggaat. Je zegt zelf dat je van mij houdt. En mama is toch lief?'
'Ja schat, mama is lief. Maar het gebeurt dat mensen gaan scheiden. Soms omdat ze aldoor ruzie hebben. Of omdat ze van iemand anders gaan houden. Of omdat ze ...'
De kamerdeur kiert open. Naomi draait zich om naar de deur. Melvins gezicht kijkt naar binnen.
Ze vliegt van papa's schoot en klemt zich aan Melvin vast.
'Melvin,' snikt ze, 'zeg jij tegen papa dat hij niet weg mag gaan.'

## Blijf van mijn vader af!

‘Wat moet ik doen?’ In paniek kijkt Naomi Melvin aan.
Hij heeft haar in bed gelegd en zit op de rand. Zijn bruine ogen kijken Naomi vriendelijk aan. Troostend aait hij over haar hoofd.
‘Je kan niks doen, Naomi. Dit is een beslissing van je ouders. Die hebben ze niet zomaar genomen. Ze hebben zelf ook verdriet, reken maar.’
Dat is toch stom, denkt Naomi. Ze beslissen iets en iedereen is er verdrietig over. Waarom doen ze het dan? Zou het misschien de schuld zijn van die man, die nieuwe vriend van papa? Zou hij ...?
‘Denk je dat papa echt wil? Jij zegt dat papa ook verdriet heeft dat hij weggaat.’ Vragend kijkt ze Melvin aan.
‘Misschien komt alles wel door die andere man? Misschien zit hij papa op te stoken. Dat kan toch best? Dan is het gewoon een gemene man, die mijn vader weglokt. Misschien is het helemaal niet waar dat papa weg wil.’
Naomi wordt opgewonden van dat idee. Als dat zo is, dan zal ze die man eens even wat vertellen! Haar vader komen afpikken, ja ja! En wie weet, wie weet ... gaat de scheiding dan niet door.
Melvin legt zijn hand onder haar kin en dwingt haar om hem aan te kijken. Hij kijkt ernstig, een beetje boos zelfs. Waarom? Melvin is haar grote vriend. Hij moet juist blij

zijn als papa en mama bij elkaar blijven. Dan is niemand meer verdrietig. Nou ja, misschien die onbekende vriend van papa, maar dat kan Naomi niet schelen. Ze kent hem toch niet. En ze wil hem ook niet kennen.
'Naomi,' zegt Melvin streng, 'Je praat als een klein kind. Denk je nu heus dat je vader zich zou laten weglokken, zoals jij dat noemt? Kom nou. Je kent je vader toch?'
Naomi schudt haar hoofd. 'Ik snap niks van wat hij nu doet. Papa houdt van mij en van mama. Dat zei hij altijd. Ik wil geen vader die weggaat en ons in de steek laat. En dan gaat hij ook nog bij een man wonen. Wat moet ik zeggen als de kinderen uit mijn klas daarnaar vragen? Dat is toch hartstikke raar?'
'Denk je echt dat je vader opeens anders wordt omdat hij met een man in één huis woont?' vraagt Melvin zachtjes.
Daar moet Naomi lang over nadenken. Is papa dan anders? Ze weet het niet. Ze weet alleen dat ze het gek vindt. Ze snapt het niet.
'Hoe denk je dat het voor je vader geweest is, al die jaren? Natuurlijk hield hij wel van je moeder, maar niet zoals het in een huwelijk hoort. Hij was eenzaam. Hij mocht van zichzelf niet voelen wat hij eigenlijk voelde. Hij moest aldoor anders zijn dan hij eigenlijk is. En al die jaren is hij gebleven. Voor jullie. En ook voor zichzelf. Omdat hij bang was dat iedereen het raar zou vinden als hij zou zeggen dat hij van mannen houdt.'

‘Ik vind het ook raar,’ zegt Naomi. ‘Dus dat klopt wel.’
‘Waarom?’ vraagt Melvin.
Naomi denkt diep na. Eigenlijk weet ze niet zo goed een antwoord.
‘Weet je dat er landen zijn waar mannen mishandeld worden als ze van andere mannen houden? Dat er niemand meer is die met ze wil praten? En dat ze geen baan krijgen, alleen maar omdat ze van een andere man houden?’ vraagt Melvin.
‘Dat is gemeen!’ roept Naomi. Ze vindt het raar van papa. Maar het idee dat andere mensen niet meer met hem willen praten ... Of dat hij mishandeld wordt ... Ze balt haar vuisten.
‘Denken ze dat hier ook? Al die akelige dingen?’
‘De meeste mensen niet hoor,’ schudt Melvin zijn hoofd.
‘Maar er zullen misschien wel een paar mensen zijn die er nare dingen over zeggen.’
Weer denkt Naomi na.
‘Die sla ik allemaal op hun gezicht,’ zegt ze dan vastbesloten. ‘Gelukkig zit ik op karate.’
Melvin glimlacht even.
‘Lost dat iets op, denk je?’ vraagt hij dan.
‘Ze moeten van papa afblijven,’ zegt Naomi boos. ‘Je zeg zelf dat hij het moeilijk heeft. Ik wil niet dat ze valse praatjes over hem rondstrooien.’
‘Denk je dat je vader wil dat je iedereen in elkaar gaat slaan?’

Naomi schudt haar hoofd. Ze weet zeker dat papa dat niet wil. Maar wat kan ze wel doen?
'Melvin?'
'Ja?'
'Wat moet ik dan doen als iemand valse dingen over papa zegt?'
Melvin legt zijn hand op haar hoofd.
'Dat weet ik niet,' zegt hij eerlijk. 'Ik snap dat je die persoon het liefst zou slaan. Dat zou ik ook willen als het over mijn vader of moeder ging. Maar je bent slim genoeg om te bedenken dat dat niet helpt. Als er mensen zijn die nare dingen willen zeggen, doen ze dat toch wel. Daar kun jij niks tegen doen.'
Naomi ligt hem met grote ogen aan te kijken.
'Dus ik moet mijn vader gewoon laten beledigen?' vraagt ze ongelovig.
'Het is belangrijk dat je van je vader blijft houden. Dat je vaak naar hem toegaat als hij verhuisd is. Daar heeft hij meer aan dan aan een dochter die iedereen een bloedneus slaat. En, Naomi,...' nu kijkt Melvin haar ernstig aan, 'weet dat je altijd naar mij kunt komen als je vragen hebt. Als je dingen niet begrijpt. Als je heel verdrietig bent of juist erg boos. Ik werk nu een paar maanden hier in het ziekenhuis dus ik ben weer vlakbij.'
Naomi knikt. Ze is moe. Haar hoofd bonkt en ze moet bijna weer huilen. Melvin ziet het. Hij aait troostend over haar haren.

'Ik geef je een pijnstiller. En dan moet je echt proberen te slapen. Beloof je dat?'
Naomi komt overeind en slikt het tabletje door.
'Dank je wel.' Naomi's stem is schor van alle tranen.
'Dag buurmeisje, we zien elkaar snel weer.'

Naomi doet Rakker aan de lijn. Het gaat steeds beter met haar en ze vindt het fijn dat ze weer naar buiten mag.
'Ik ga met Rakker naar het park.'
'Doe je wel rustig aan?' klinkt het van boven. Naomi weet wat haar ouders boven doen. Spullen uitzoeken. Kijken wat papa meeneemt en wat er in het huis blijft. Koffers en dozen inpakken. Ze vindt het heel akelig om te zien. Papa en mama hebben veel met haar gepraat. Over de scheiding. En dat ze allebei altijd heel veel van haar blijven houden. Ze hebben ook gepraat over papa's verhuizing en het inpakken van zijn spullen.
'We kunnen daar ook mee wachten tot jij weer op school zit, Naomi. Maar het moet gebeuren.'
Het kan haar niet zoveel schelen. Het is toch afschuwelijk en het maakt niet veel uit of ze nu die dozen inpakken of als ze volgende week op school zit.
Naomi begint een piepklein beetje aan het idee te wennen. Maar ze zal papa zo missen!
Nooit meer met zijn drieën aan tafel zitten ...
Geen papa meer die haar elke avond instopt ...
Geen stoeipartijen meer met zijn allen ...

Ze kijkt naar de blaadjes aan de bomen en knippert haar tranen weg. Rakker loopt naast haar. Naomi gaat op haar hurken zitten en knuffelt hem. Hij kwispelt blij.
'Wij blijven altijd samen, Rakker. Afgesproken?' Ze kroelt hem tussen zijn oren en geeft hem een kus op zijn kop. Als ze weer gaat staan staat Pascal voor haar.
Daar heeft ze helemaal geen zin in.
'Dag,' zegt ze kort en wil langs hem heenlopen. Maar Pascal verspert haar de weg.
'Zo, ben je weer beter?' Naomi kent die toon van hem. Een beetje liefjes maar toch ook vals.
Ze knikt en probeert door te lopen. Pascal staat breeduit op het pad en kijkt haar grijnzend aan.
Gejaagd kijkt Naomi van links naar rechts.
'Je bent toch niet bang voor me?' zegt Pascal zogenaamd vriendelijk. 'Ik wil je alleen maar feliciteren met de nieuwe vriend van je vader. Dat zal wel wennen zijn. Je vader met een andere man. Heb je hem al gezien? Hij woont bij ons tegenover. Je vader is er elke dag. En dan zijn ze aan het kussen en lopen handje in handje. Twee mannen! Het is verschrikkelijk om te zien.'
Naomi wordt lijkbleek.
'Ik .... eh ...' stamelt ze.
'Ik snap het,' zegt Pascal, 'Het is niet normaal. Een gevaarlijke ziekte, eigenlijk. Misschien is het wel besmettelijk. Word jij later net zo. Arme jij!'

Met een ruk draait Naomi zich om. Rakker wordt aan zijn riem meegetrokken en piept geschrokken.
Ik moet weg hier! Weg!
Naomi rent en rent. Rakker holt met zijn tong uit zijn bek naast haar.
Ze is nu uit het park. Automatisch neemt ze de weg naar huis.
Oh nee, niet naar huis! Maar waar dan naar toe?
Melvin! Natuurlijk, ze kan naar Melvin in het ziekenhuis.
Gelukkig weet ze waar dat is.
Hijgend komt ze bij het ziekenhuis. Wat is het groot!
Waar ging mama ook alweer met haar naar binnen toen ze gevallen was? Daar moet ze zijn, want daar werkt Melvin.
Ze kijkt goed naar het gebouw. Ze gingen niet door de grote draaideur maar een hoek om, dat weet ze nog. Ze trekt Rakker met zich mee.
Ja, daar is het. Spoed Eisende Hulp. Als ze met Rakker naar binnen stormt, wordt ze tegengehouden.
'Hé jonge dame! Een beetje kalm. En wat moet dat met die hond?'
'Ik moet naar Melvin!' In paniek probeert Naomi zich los te rukken, maar ze wordt stevig vastgehouden.
De tranen stromen over haar wangen. 'Melvin!'
'Sst,' sust de verpleegkundige die haar vasthoudt. 'Rustig. Denk aan de patiënten.'
Maar Naomi is niet rustig. Ze huilt en roept om Melvin.
Rakker piept klagelijk.

De verpleegkundige drukt op een belletje. Er komt iemand aan. Naomi hoort ze fluisteren.
'Hoe heet Melvin verder?' vraagt de verpleegkundige dan vriendelijk. 'En waarom weet je zeker dat hij hier is?'
'Hij heet Van Dalen. Hij woonde bij mij in de straat. En toen ik laatst een hersenschudding had, werkte hij hier.'
Naomi's schouders schokken.
'Oh, Van Dalen, ja, die loopt hier stage. Je boft, hij heeft dienst. Ik zal hem voor je laten roepen. Ga maar even zitten.'
Naomi gaat op een plastic stoel zitten. Ze hijgt nog steeds van het harde lopen en heeft steken in haar zij. Maar dat is niet erg. Veel erger is alles wat Pascal tegen haar heeft gezegd.
'Buurmeisje!' Melvin gaat op zijn knieën bij haar stoel zitten en pakt haar hand. 'Wat is er gebeurd?'
'Heeft papa een ziekte? Is hij daarom zo? En krijg ik het ook? Help me, Melvin!'
'Wie heeft dat gezegd?'
'Pascal. Ik kwam hem tegen in het park. Hij zei dat papa een gevaarlijke ziekte heeft.'
Melvin schudt zijn hoofd.
'Niet waar,' zegt hij. 'Naomi, dat is niet waar, hoor je me goed? Dit is nu precies wat ik laatst bedoelde. Er zijn altijd mensen die nare dingen zeggen. Het erge is dat jij daar niks tegen kan doen. Natuurlijk is het geen ziekte, stel je voor. Je vader houdt van een man. Nou en? Ben je dan ziek? Ik snap dat je geschrokken bent, maar denk goed na. Ben je ziek als je van iemand houdt?'

Naomi schudt haar hoofd. Dan zucht ze diep. ‘Ik vind het zo moeilijk allemaal.’
‘Dat is het ook. Het is goed dat je gekomen bent. Weet je wat je moet doen?’
Vragend kijkt ze Melvin aan.
‘Was je gezicht en drink een beker water. Dan ga je thuis even rustig liggen. En praat hier met een vriendinnetje of vriendje over. Je zult zien dat dat helpt. Lang niet iedereen denkt zo als Pascal.’

## Niet waar, niet raar

Naomi zit op het bed van Lucas. Lucas zit op de grond en kijkt naar haar. Nerveus friemelt ze aan haar nagels. Wat zal hij zeggen?
'Pascal had gelijk,' gooit ze er dan uit. 'Mijn ouders gaan scheiden.'
'Wat erg.' Lucas is even stil.
'Hoe wist hij dat? Jij wist het zelf nog niet eens,' zegt hij dan.
'Omdat ...' Naomi slikt een grote brok weg. Wat is dit moeilijk. 'Omdat mijn vader tegenover Pascal gaat wonen. Hij was daar al vaak. Pascal had hem gezien.'
Lucas fronst zijn voorhoofd. 'Wat deed jouw vader daar dan? Hij woont toch nog bij jullie?'
Naomi zucht diep. Hoefde ze hierop maar geen antwoord te geven.
'Mijn vader gaat bij iemand anders wonen,' zegt ze zachtjes.
'Oeps, verliefd dus.'
Naomi knikt.
Zeg het dan, denkt ze. Zeg het! Nu! Lucas is je vriend. Ze knijpt heel hard in haar eigen been en dan zegt ze het. Zomaar pardoes.
'Hij is niet verliefd zoals jij denkt. Hij is verliefd op een man. Hans heet hij.'

Lucas denkt even na.
'Nou ja, verliefd is verliefd,' vindt hij dan. 'Of hij nou op een vrouw of een man is, maakt niet veel uit.'
'Vind je?'
Lucas knikt heftig. 'Het ergste is toch zeker dat hij weggaat? Of hij met een man of een vrouw samenwoont, is volgens mij even erg.'
'Dus je vindt het niet raar?'
Lucas kijkt haar verbaasd aan. 'Raar?'
Naomi knikt een beetje verlegen. 'Ik vind het nog steeds gek,' bekent ze zachtjes. 'Dan denk ik stiekem dat een man die van een andere man houdt anders is.'
'Niet waar,' schudt Lucas zijn hoofd. 'Dat is niet waar, joh. Wacht.'
Hij springt overeind en zet zijn computer aan. Hij zoekt op internet.
'Hebbes!' zegt hij triomfantelijk.
Nieuwsgierig komt Naomi kijken.
"Homofilie is het liefhebben van iemand van hetzelfde geslacht. Homofilie is geen ziekte, gevaarlijke stoornis, misdaad of afwijking," leest ze hardop.
'Zie je?' zegt Lucas, 'Het is helemaal niet gek. En als iemand dat wel vindt, is dat pech hebben.'
'Dus als iemand mijn vader uitscheldt en zegt dat hij raar is ...' begint Naomi.
'Dat is niet waar,' zegt Lucas.
'En als ze zeggen dat hij ziek is?'

'Niet waar,' zegt Lucas weer.
'En als ze zeggen dat hij gevaarlijk is?'
Naomi en Lucas kijken elkaar aan.
'Niet waar,' zeggen ze tegelijk en schieten in de lach.
Dan wordt Lucas weer ernstig. 'Maar het is natuurlijk hartstikke erg voor je dat ze gaan scheiden.'
Naomi slikt. Dan knikt ze. 'Ja.'
Meer zegt ze niet. Ze kan niet uitleggen hoe erg ze het vindt. Hoe vaak ze in bed ligt te huilen. En hoe boos ze van binnen is. Boos op papa dat hij weggaat. En boos op Hans. Hans ziet haar vader straks elke dag! En zij mist hem nu al. Zo oneerlijk is dat. Ze is ook boos op mama. En zelfs op al die stomme, ingepakte dozen in de gang. Soms is haar boosheid zo groot dat ze iets stuk wil gooien. Dan gaat ze maar met Rakker naar buiten en vertelt hem alles.
'Je mag toch wel gewoon naar je vader toe?'
'Hè, wat?' Naomi was zo in gedachten dat ze Lucas helemaal was vergeten.
Hij herhaalt zijn vraag.
'Tuurlijk,' zegt ze. 'Hij vraagt juist of ik heel vaak kom.'
'Gelukkig dat hij niet zo ver weg gaat wonen dan,' vindt Lucas. 'Ken je Hans al?'
Naomi schudt haar hoofd. 'Ik wil hem eigenlijk niet kennen.'
'Snap ik. Maar hij is vast aardig, anders zou je vader niet verliefd zijn. Toch?'

Dat is waar, denkt ze.
Maar ze zegt het niet.

Als Naomi naar huis loopt, is ze opgelucht. Lucas vond het niet raar. Ze hoopt dat Melvin gelijk heeft en dat de meeste kinderen zo zullen denken.
Maar toch. Ze zal papa zo vreselijk missen. Hij blijft in de buurt wonen maar dat is niet hetzelfde. Helemaal niet zelfs.
En dan moet ze weer huilen.
Papa staat in de voortuin en ziet haar aankomen. Snel komt hij naar haar toe en slaat zijn armen om haar heen.
Heel lang staan ze daar, papa en Naomi.
'Moeilijk hè?' vraagt papa.
Naomi knikt. Ze is blij dat papa verder niks zegt.
Langzaam wordt ze wat rustiger.
'Je blijft altijd mijn dochter,' fluistert papa zachtjes. Ze hoort aan zijn stem dat hij ook verdriet heeft.
Ze slikt en slikt en dan zegt ze het.
'Jij blijft altijd mijn vader. En ik kom heel vaak bij je.'

# VerwijZjes

Misschien heb je dit boek gelezen omdat jouw ouders zijn gescheiden, of omdat ze gaan scheiden, net als de ouders van Naomi. Dan herken je vast veel van haar gevoelens: verdriet en boosheid.
Misschien heb je dit boek gelezen omdat je meer over homoseksualiteit wilde weten.
En misschien las je het boek wel gewoon omdat het je interessant leek.
Hoe dan ook, ik hoop dat je het een fijn boek vond om te lezen en dat het duidelijk is geworden dat het normaal is dat je boos en verdrietig bent als je ouders uit elkaar gaan. Ook hoop ik dat je begrijpt dat homoseksuele mensen net zo normaal zijn als niet homoseksuele (heteroseksuele) mensen.
Tenslotte hoop ik dat je, net als Naomi, een goede vriend(in) hebt die je steunt.

**Wat is echtscheiding?**
Bij een echtscheiding wordt een huwelijk beëindigd. Alle juridische banden die de ouders met elkaar hebben, worden verbroken. Ook ouders die ervoor hebben gekozen om niet te trouwen, kunnen gaan scheiden. Zo'n scheiding verloopt hetzelfde als een echtscheiding en geeft net zoveel verdriet.

Voor meer informatie over echtscheiding kun je kijken op de volgende websites:

Stichting Jonge Helden
www.stichtingjongehelden.nl

Kinderen In Echtscheiding Situatie
www.kiesinfo.com

**Wat is homoseksualiteit?**
Homoseksualiteit is seksualiteit tussen mensen van hetzelfde geslacht. Een vrouw met een seksuele voorkeur voor andere vrouwen wordt ook wel lesbisch genoemd.

Voor meer informatie en hulp kun je terecht bij Stichting Orpheus. Deze stichting helpt mensen die in een heteroseksuele relatie te maken hebben met homoseksuele gevoelens van henzelf of van hun partner. Orpheus helpt alledrie de partijen: de heterosekuele partner, de homoseksuele partner én de kinderen uit het gezin.
www.orpheushulpverlening.nl

**Eerder verscheen in de wijZjes serie het boek *Mijn oma is een engel***

De stoere, gekke, maar vooral lieve oma van Jasper is ziek. Heel erg ziek. Ze heeft borstkanker.
De gevoelens van Jasper en het ziekteproces van oma worden afgewisseld met herinneringen aan logeerfeesten en uitstapjes.

Vanaf 9 jaar.

Voor meer informatie ga naar www.248media.nl